KB096546

“

모퉁이를 돌아가는 기차는 소리를 지른다

모퉁이를 돌아가는 기차는 소리를 지른다

발행 2023년 12월 12일
저자 박몽진
펴낸이 한건희
펴낸곳 주식회사 부크크
출판사등록 2014. 07. 15(제2014-16호)
주소 서울특별시 금천구 가산디지털1로 119 A동 305호
전화 1670-8316
E-mail info@bookk.co.kr
ISBN 979-11-410-5905-7

www.bookk.co.kr
© 박몽진, 2023
본 책은 저작자의 지적 재산으로서 무단 전재와 복제를 금합니다.

“

모퉁이를 돌아가는 기차는 소리를 지른다

박몽진 지음

BOOKK

작가의 말

시간의 강을 따라 쉬지 않고 흘러왔다. 샘물이 솟아나듯 이 세상에 와서 아주 작은 물방울로 시작하여, 여러 가지 길들을 지나고 여러 사람을 만나고 여러 가지 일을 겪으며 여기까지 왔다. 어디로 가는 것인지, 언제까지 가야 하는지 늘 궁구해 보지만 여전히 알 수 없다. 다만 주어진 길이니 쉬지 않고 걸어갈 뿐이다.

'시간이 지나가는 풍경'은 살아오며 느끼고 생각하고 체험해 온 삶의 기록이다. 손바닥의 지문처럼 비슷해 보이지만 모두가 다른 우리 삶이다. 삶의 궤적을 적어오다 보니, 살아온 삶이 어렴풋하게 보이는 것도 같다. 아울러 어디로 어떻게 가려고 하는지가 얼핏 보이는 것도 같다.

강은 바다에 다다르기까지 쉼 없이 흐를 것이고 나도 허락된 날까지는 이 풍경 속을 쉼 없이 흘러갈 것이다.

차례

Ⅱ

III

Ⅳ

I

서 시

흙에서 일구어 먹으며
흙으로 벽을 바르고
흙을 밟고 살리라.

양반다리로 앉아
머리는 푸른 하늘에 두고
눈초리는 콧등 위에다 지긋이 걸어두리라.

더 바랄 것이 무엇인가.

바 람

바람은 고양이다.
살금살금 돌아다니며 여기저기 저지레를 친다.
사랑방 쪽문 틈에서 양양 거리다가
뒤 뜰 대나무 숲에서 바스락거리고
낙엽을 몰고 마당 구석을 돌아다니기도 한다.

이도 저도 다 시들해질라치면
골목으로 나가 처녀애들 치맛자락도 들춰보고
비닐하우스며 사거리에 매달린 플래카드도
흔들어 댄다.

바람은 이리저리 돌아다니다가
겨우내 꽃망울 키워 놓은
나뭇가지며 풀들을 흔들어서
꽃송이를 터뜨려 놓는다.

기실 꽃들은 스스로 피어나는 것이 아니다.
바람이 그 향낭을 흔들어
향기를 퍼뜨리는 것이다.
하여 꽃이란 꽃은 모두 바람의 자손들이다.

바람은 심술 궂은 장난꾸러기였다가
때로는 중매쟁이였다가
매서운 채찍을 든 무서운 폭군이 되기도 하지만
바람은 생명의 수레를 돌리는
잠시도 쉬지 않는
손이며 발이다.

오월 통신

그대도 틀이다.
구속하려는 자들은 모두 척도尺度를 가지고 있다.
잡으려고, 가두려고 하지 마라.
존재하는 것들은 변화하는 것들이다.
변화하지 않는 것은 없다.
들여다보라. 그대의 우물을
거기에 무엇이 보이는가.
그 속에 무엇이 있는가.

소유를 원하거든 대상을 물질로 만들어라.
형태를 바꿀 수 없도록 단단한 물질로 만들어서
그대의 우물 벽에 걸어 놓으라.

머물려 하지 마라.
바람처럼 물처럼 스쳐 지나가게 하라.
그대도 낡아갈 것이나
그 또한 순리인 것을.

오고 감에 연연해 마라.
기대고 매이려 마라.
다만 자유로울지라.

재 회

앙금으로 가라앉아
어둠 속으로 굳어가던 기억들은
그 이름을 부르는 순간
하나둘 빛을 발하기 시작합니다.
손과 손이 만나는
순간으로부터
나비들 하나둘 날아올라
만남의 자리는 아름다운 나비들로 가득해집니다.

녹슨 기억의 행낭行囊을 열어
과거를 끄집어 올리는 당신의 작은 입은
마술사의 손처럼 신비롭기만 합니다.

우리들의 이야기는 과거로부터
현재로 이어지는 길을 따라
푸르게 푸르게 차올라서
발밑으로부터 우리를 적셔 옵니다.
우리들의 자리는
온통 꽃밭과 나비들로 가득합니다.
몸과 맘이 푸들푸들해집니다.

어둠 속으로 잠기어가는
도시의 골목 여기저기에서도
하나둘 축포의 불꽃들이
하늘을 향해 솟구쳐 오르기 시작합니다.

꽃잎 비

꽃잎 비를 맞으며 그대를 생각하네.
살다 보면 혼자서만 누리기 안타까운
순간들이 있지.

나눌수록 커지는 맘속에 풍선이 있어
함께 해야 가슴이 충만해지는
그런 순간들도 있지.

꽃잎 비 휘날리는
봄날 오후
그대여!
그대는 어찌 지내시는가.

어디라서 휘날리는
이 꽃잎 비를
피할 수가 있으리.

꽃잎 비 맞으며
그대도 행복하시라.

너에게 가는 길

이즈음 너에게 가는 길에는
새소리도 아이들 웃음소리도 들리지 않는다.

소리와 냄새가
그리고 감촉이 사라진
그 길 끝에 너는 있다.
머뭇거림과 설렘으로 시작되는
만남의 기억이 새롭다.

컴퓨터가 고장이 나버리면
너에게 갈 방법이 없다.

화 우

아마도 꿈속에서였으리라.
얽히고설킨 우리의 잔영을 본 것은
기억과 기억이 이어지질 아니하는
얼굴도 분명하지 않은 조각난 기억들이
우리의 전부라면
사랑이란 얼마나 가소로운 것인가.
나는 사랑을 모른다.
이른 봄
변덕스러운 바람 속에 피운 꽃.
나의 사랑은 그렇다.
어렵게 시작된 나의 사랑은 눈부시게 짧았다.
눈송이처럼 꽃잎이 날린다.
하나였던 것들이 조각조각 해체되고 있다.
너와 함께 이루었던 시간이 꿈이었으면 좋겠다.
아니 꿈이 아니라면 좋겠다.

오 월

아기똥풀 노란 꽃들이
싱그러운 바람에 몸을 흔들고 있다.
자연은 참으로 경이롭다.
불과 며칠 사이에 황량했던 들판을
꽃송이들로 가득 채워 놓았다.

비 갠 오월의 하루가 지나가고 있다.
아카시아 향기가 꿈결처럼 실려 오고
새 소리, 바람 소리, 아이들 웃음소리가
달콤한 범벅으로 버무려져서
푸른 들판 가득 일렁거린다.

온몸으로 한껏
바람을 맞으며

오월 속을 달리고 있나니
세포 하나하나가
달콤한 이 순간을
만끽하노라.

말

무심한 듯 지나가는
말 한마디가
잠자는 것을 흔들어 깨운다.

사소한 말 한마디에
깃발이 펄쳐지고
분노와 비탄과 고함이 끓어오른다.

간지러움과 소름으로
솟아올랐던 것들이
제풀에 스러져 버렸던 그것들이.

바람처럼 그림자처럼
아무 상관도 없는 듯이
그저 지나가는 것일 뿐이라는 듯이
지나가려는

말꼬리를 잡고 일어선다.

그러고 보면
스러져 버렸다고 여겼던 것들은
그저 그냥 사라진 것이 아니다.

스러지고 뒤엉켰던 그것들은
부글거리다 끓어오르다
잦아들기를 반복하며
발효되고 있었던 것이니
그것이 어느 아침 맑은 종소리가 되어
푸르게 푸르게
울려 퍼지기도 하는 것이다.

아이를 앞세우고

아이를 앞세우고 길을 걸어보면 안다.
아스팔트 매끈한 길이거나
돌부리 성성한 길
꼬리를 감춘 골목길에서도
아이는 머뭇거리지 않는다.

돌부리를 차고 넘어지더라도
무릎이 깨져 피가 나더라도
깨지는 순간의 아픔까지도 금세 털어낼 줄 안다.
무모함이라고도
가상한 용기라고도 말할 수 없는
순수한 지향성이 아름답다.

저 길에 숨은 미로와 복병처럼 숨은 눈동자들.
발밑 어디엔가
지뢰가 널려 있음을 알기까지
그리하여 내딛는 발걸음이 머뭇거려지기까지
아이는 얼마나 넘어져야 하는가.

저 막힘없는 발걸음이
꺾임 없이 계속될 수 있기를.
순수한 저 지향성이
대지를 박차고 올라
찬란한 별이 되어 빛날 수 있기를.

세 월 호

떨어지는 꽃잎만 보아도 마음이 아프다.
밥을 먹다가도 목이 메인다.
라디오를 듣다가 티브이를 보다가도 눈물이 난다.
한 치 앞이 보이지 않는 저 어둡고 차가운
물속에서 끝끝내 돌아오지 못하는 소리들.
환한 웃음들이
그 얼굴들이 어른거려서
눈을 뜨면 직시할 수밖에 없는
잔인한 사월의 아침이 죄스러워라.

불같은 분노와 가슴을 저미는 자책과 수치가 함께
저 범의 아가리 같은 맹골 수로의 밤을 잠들지
못하게 하느니.
그 어떤 말로도 갚을 길이 없는
이 비통함을 짊어지고
우리는 또 아무 일도 없었다는 듯 살아갈 것이다.

이 땅에 피는 저 가녀린 들꽃 송이에도
피었다가 지는 저 꽃잎 한 장에도
눈물이 방울 되어 떨어진다.
지워지지 않을 상흔들
가슴에 새긴 채로
우리는 모두 형극의 아침과 저녁을
살아가야 하리라.
이 땅에 남은 자들은 그리 살아야 하리라.

다시는 이 땅에 이 바다에 이 하늘에
일어나서는 아니 될 일
부끄러운 일들이 일어나지 않도록
말을 짓는 자들아,
법을 짓고 집행하는 자들아,
세상을 꾸려가는 자들아,

모두 나와서 돌아오지 못한 이름들 앞에
속죄의 염을 외거라.
참회의 비문을 짓거라.

석수장이들아
정을 들어 비통한 가슴에서 주체하지 못하게
솟아오르는 눈물 뜨거운 맹세가 식기 전에
이 가슴 가슴들에 절대로 지워지지 않게
한 땀 한 땀 깊이 새겨넣어라.

세월도 잊지 못하도록
잊을 수 없도록
이리도 억울한 너희들의 죽음이
이 어이없는 희생이
헛되이 스러지지 않도록
이 땅에 남은 우리가 평생 짊어지고 갈 수 있도록.

입 하

녹색 바다 위를 뛰노는

등 푸른 날치 떼들

유 월

유월은 이제 막 삼십 대에 접어든 여인과 같은
계절이다.
어디든 만지면 푸른 물이 들겠다.
산그늘까지도 푸르다.

하지의 하루를 대청마루에 누워
다가왔다가 멀어지기를 반복하는 뻐꾸기 소리를
듣고 있다.
보이지 않는 새
뻐꾸기는 모습을 드러내지 않고
목소리만 보이는 새이다.

바람이 간간이 미류나무를 스쳐 지나간다.
덩치가 산만한 미루나무가
작은 손을 펴서 지나가는 바람에게 손을 흔든다.

평화롭다.

고요하다.

무료하다.

무료와 고요와 평화가 버무려져서

무기력해진다.

몸이 자꾸 까부라진다.

배낭을 꾸려야 할 때가 왔다.

라 이 딩

오월 속을 달린다.

귓전을 따라오는

노랫소리와 새소리는

덤이다.

이 순간

나 는 자 유 다

모퉁이를 돌아가는 기차는 소리를 지른다

여름이 채 시작되기도 전인데
그들은 벌써 옷을 벗어 던지기 시작했다.
유난히 긴 창날을 든 붉은 근위병들은 아침의
광장을 따라 창날을 반짝이며 도열하고 있다.
가까운 곳으로부터 시작되는 소음들.
이따금 무작위로 찢어지는 비명들.
뜨겁게 달구어진 레일 위로 기차는 규칙적인 소음
을 튕기며 어제 그 시간을 달리고 있다.
왜 그럴까.
어떤 날들은 아무 소리도 들리지 않는 걸까.
나무들, 밀식으로 숨 막히는 나무들
한사코 해를 향해 기어오르고
아지랑이 노랗게 여물어가는
레일 로드
모퉁이를 돌아가는 기차는 소리를 지른다.

말 말 말

청보리밭을 쓸고 지나가는 바람같이
갈기를 휘날리며
우루루루 몰려다니는 말들.
어떤 문장은
그저 중간쯤에서 읽기를 그만두어야 하지.
행간을 헤아리는 것도 삼가야 해.

이미 뱉어버린 말들은
쏟아버린 물과 같아서
주워 담을 수 없을뿐더러
절대로 되돌릴 수가 없지.

본심을 교묘하게 감춘 말들이라도
행간의 숨겨 놓은 의미가 드러나면
속을 훌러덩 뒤집어 놓거든.

손바닥이 벗겨지더라도
눈물이 찔끔 쏟아지더라도
달구어진 손잡이같이
뜨겁고 정직한 말이었으면 좋겠어.

비 오는 날

비가 온다.
요 며칠
젖은 창 앞에서
육자배기로 왁자한 난장을 만난다.
거름 덩어리같이 구수한 말들.

욕설을 마다 않고
꾸역꾸역 사람들 모여드는
어느 맛집의 푸진 밥상처럼
뜰이 푸짐해진다.

올 때 제대로 오는 봄비는 그렇다.
방울 방울이
꽃잎의 살이 되고
풀잎의 뼈가 된다.
어려운 살림살이에 풍요를 일군다.

창을 활짝 열어젖히고
나도
푸짐하게 젖고 싶다.

Ⅱ

내 맘속에 별

하늘에 가득
별 돋아나서 얼마나 다행인가.

푸른 벽에 갇히어 한 뼘도 더 나아가지 못하는
이 시야의 한계는
밤이 되어서야 비로소 극복되나니.
푸른 벽碧 너머
새까만 공간을 달려오는 별들을 보라.

아! 그러나
무수히 빛나는 별 중에도
보이지 않는 별 있나니
그리는 맘속에서나
반짝이는 별.

가을 여행

사심 없이 끝에 다다른 자들은 모두 저러한가.
석양 산하가 환하다.
마음이 흐려지면 눈도 흐려진다.
근심을 안고 떠나온 길이라
밝음이 오히려 허하고
맑음도
그 깊이를 헤아리기 어렵다.
걸어도 걸어도 제자리이다.
한 걸음도 더 앞으로 나아가지 못한다.

근심을 말끔히 비워내지 못한다면
이 여행은 미혹에 홀린 영혼을 만나러 가는
씁쓸한 여정이 될 것이다.

맑게 비운 자들의 발걸음은 가볍다.
햇살에 꿰이지도 않는다.
살에 맞아도 피 흘리지 않는다.
찔러오는 것들을
고스란히 투과해 버리기 때문이다.
비울 줄 아는 자들이
모두 함께 돌아가는 자리가
눈부시게 환하다.

가을 이미지

회오리가 일고 천둥이 울고
어디에선가는 아직도 비가 내리고
바람도 소소히 불어 자잘한 이야기들이
구름처럼 떠돌아다니기도 할 것이다마는
산다는 것은 뭐 그런 것이다.

계절이 서로 몸을 비끼어 가는 이즈음에는
채 여물지 못한 이야기일지라도
제 빛깔의 사연을 밝히어 드는 것이니
그대의 사연은 얼마나 아름다운가.

잃어가는 것인지 채워져 가는 것인지
생각해 볼 겨를 없이 해는 기울어 가고
애저녁 황금 들녘을 뛰노는 햇살 앞에사
솜털 한 올이라도 감출 수 없다.

가을 사랑

사랑을 이루지 못하면 죽지도 못하리.
금쪽같은 목숨일지라도
불꽃으로 타올라서야
저 강을 건널 수 있으리라.

태양을 등지고 돌아가는 길에
초록의 땅을 지나는
바람은 무섭더라.

아직 사랑을 이루지 못한 이들은
무서리 내리는 땅을
밤을 새워
하얗게 걸어야 하리라.

미련한 사랑

그녀는 내가 얼마나 많은 것들을 사랑하고 있는지 모릅니다.
하늘만큼
땅만큼
해지고 난 하늘에 돋아나는 별만큼

그녀는 내가 얼마나 많은 것들을 사랑하고 있는지 모릅니다.
땀내 고약한 겨드랑이를 베고 누워서도
세상에서 가장 행복한 미소를 물고
잠들어 버리는 그녀에게
이런저런 사랑 따위를 설명하는 일은
아무 소용이 없는 일입니다.

그녀는 내가 얼마나 많은 것들을
두루 사랑하고 있는지 모릅니다.
그러나 내 무량하고 무변한 사랑이
그 하나의 사랑을 넘어설 수 없는 이유는
사랑이 무엇인지도 모르는
저 미련한
그 하나의 사랑 때문입니다.

하나로 전체를 만나다.

오로지 너 하나를 통해
우주를 만난다.

어느 시대에서
어느 공간에서
당신을 만났다 하더라도
달라지지 않았으리.
만난 그 순간 바로 알아봤으리.

그 모든 것을 뒤로하고
당신을 만난다.
전 생애를 걸어와서
당신을 만난다.

우주를 통틀어
오로지 하나뿐인 당신을.

그 무엇으로도
대체할 수 없는
너
그리고
나.

빛에 대한 단상

불을 끄고 방으로 들어와 버린 후이니
사방이 어둠으로 가득 차 있을 것이다.
어둠이 존재를 지우지는 못할지라도
우리 사이에는
어둠이 가득하다.

빛이 있어야만
우리는 비로소
그 존재를 드러낼 수 있다.
태양이 세상의 아침을 열듯이
불을 켜 들고
사이에 가득한 어둠을 밀어내야만
미혹迷惑에 사로잡힌
영혼을 구원할 수 있을 것이다.
빛은 해방이며 구원이다.

사랑이 찾아올 때는

예측할 수 없는 일기日氣 같이
사랑은 아무런 예보도 없이
당신을 향해 폭풍처럼
닥쳐올 것입니다.

참 다행이다.

너 있으니 되었다.
너 하나 있으니 되었다.
다 되었다.

네가 있어 참 다행이다.

태 양

별과 별 사이
어둠이 충충하다.

빛나는 네가 있어서 나는 존재한다.
존재하는 것만으로도
너는 모든 생명의 어머니이며 아버지이다.
우리는 빛과 바람과 땅과 물에 자손이며
신기루이며, 그림자이며, 허상이며, 현상이며, 조화
이다.
순간을 지나가 버리는 어른거림이다.

빛나는
네가 있어서
나는 존재한다.

기 다 림

여울목에 서서 길게 목을 빼고
물속을 노려보거나
파리를 줄에 달아 하염없이 흘리는 일은
끄트머리를 알 수 없는 지루함과
그 끝이 이어져 있다.

한 끼를 위하여 몰입해야 하는 시간,
기다란 목은
날카로운 바늘처럼 구부려둬야 한다.

여울의 한 가운데에서 서서
날카로운 바늘을 먹이 속에 숨기고
쉼 없이 밑밥을 흘려야 한다.

무엇이 밥 인지
무엇이 덫인지 어찌 알 수 있겠는가.
욕망과 욕망이 대치하는
임계선臨溪線에서

어느 날 하오

주제를 갖지 못한 생각들.
누운 것은 누운 대로
서 있는 것들은 또 그대로
그저 제멋대로
전혀 정리되지 않은 것들.
그러나 모자라지도 더하지도 않은 하오.

조바심할 그 무엇이 있을까.
제멋대로 그렇게 머무르다 가는 길인걸.
하고자 한 일, 이루고자 한 일 따로 없으니
그저 한가하다.
제멋대로 그렇게 어슬렁거리며 지나가는
어느 날 하오.

장미의 미라

그 향기 아직도 남았어라.
다시는 돌아올 수 없는 세월이여!
마른 꽃 내음 같은
아스라한 당신의 향기가 그립습니다.

까 치

비 오는 풀밭에 까치 한 마리
주변을 두루 살피며 때늦은 점심을 먹는다.
주려 있어도 까치는 안다.
먹어야 할 것과
그렇지 않은 것들을.

굶주려 있기에 삶이 수고롭지만
있으면 먹고 배부르면 노래한다.
때때로 배고픔이
목숨을 위태롭게도 하지만
그의 삶에는 얽매임이라는 단어가 없다.
그에게 창고 따위는 없다.
그의 삶은 소박하고 자유롭다.

삶이란 소유하고 쌓는 과정이 아니다.
한 끼를 해결하기는 까치나 인간이나 마찬가지.
그러나 인간의 하루는 얼마나 복잡하던가.
아직 오지 않은 시간을 위하여
이미 지나간 시간에 얽매여
인간들의 시간은
얼마나 꼬이고 비틀어져 있는가.

까치는 가르치지 않아도
함께 노래할 줄 알며
배우지 아니하고도 능히
하늘을 날 줄 알며
행장을 꾸리지 않고도
길을 떠남에 망설임이 없다.

빨 래

속살을 싸고 있던 것들이
모두 나와 바지랑대에서 나부낀다.
욕망과 자존을 가리는 마지막 보루들이
이리도 환한 대낮에
한 점 부끄러움 없이 나부낀다.

홀랑 까진 세상이다.
드러냄과 감춤의 경계
아름다움과 추함의 경계가 가느다란 외줄에
매달리어 춤을 춘다.

바람이 밀어 올리는 대로
저 손바닥만 것들이
동그란 밥주발만한 것들이
백주 대낮에 하늘을 향해 까불어 친다.
음지와 양지에 고루 햇볕이 환하다.

아카시아

단지마다 가득
꿀
채워 놓았는데

찾아오는
놈
하나 없구나.

그 많던
벌과 나비는
어디로
가 버린 것인가.

망 초 꽃

어머니는 쉽사리 잠들지 못한다.
까무룩 초저녁이 잠든 시간에도
가만가만 문을 열고 들어오는 까치발 소리를 지키기 위하여.

사소한 욕심도 죄다.
개망초 무성한 밭에서 팝콘 알갱이보다도 작은
꽃들의 몸을 어루만지며
어머니는 자신의 죄를 생각한다.
모두 다 떠나버렸다.
무엇을 잊으라는 것인가 무성한 망초꽃은.

평생을 밭이랑 기어 다니며 풀포기 뽑고 또 뽑았는데
정작 키워 낸 것들은 하나도 보이지 않고

여름 한 철 무성히 키를 키운
망초꽃들만 가득하다.

살아온 땅 어디라서 저 질긴 망초 없으랴마는
밭뙈기 가득 망초를 키우는 세상이 올 줄이야.
제초제로도 없애지 못한다는 망초즙을
생때같은 자식에 입에 흘려 넣으며
망초야, 망초야, 내 자식을 좀 살려다오.
망초야, 망초야, 모질고 질긴 망초야.

피 끓는 절규를 쏟아내 보아도
끝내 곁을 떠나는 것들을 잡을 수 없었다.
당신을 떠나가는 건
그저 껍데기들 뿐이었으므로.

어머니와 누에

노랗게 늙어 버린 그녀는 쉼 없이 실을 뽑아낸다.
완결일 수 없는 미완의 집을 넘나드는 숭숭한 바람이
그녀를 결코 멈추지 못하게 하는 것일 것이다.
굽고 휘어버린 뼈마디 앙상한 몸 어디에
그녀는 저 무한일 것만 같은 실타래를 감추어 둔
것이다.
기실 그녀가 뽑아내는 실들은 그저 살들이 풀려나
오는 것만이 아닐 것임에 뼈마디마다 숭숭 구멍이
뚫리고 손마디며 허리며 다리가 저리도 굽어들고
오그라드는 것 일 게다.
쉼 없는 저 물레질이 끝나는 어느 날쯤
그녀는 우화 된 흰 날개를 펼쳐 들 것이다.
누에의 삶이 그러하듯이

그녀는 뼈마디를 풀어 실을 잣는 것이며
혼을 살라 실을 잣는 것일 것임에
그녀에게 삶이란 환생을 위한 물레잣기에
다름이 아니다.

그리하여 그녀가 쉼 없이 잣는 것은 등선의 날개이며, 환생의 자궁이다.
그 자궁 안에서 모든 것들이 그렇게 시작된 것이니
그녀는 죽어도 죽지 아니하는 영생의 길을 닦고 있는 것이다.
그녀의 어머니에 어머니, 그 어머니의 어머니들이
그러했던 것처럼 그녀도 그 길을 닦는 것이리라.
영생을 이어가는 생명의 길을 닦고 있는 것이리라.

Ⅲ

눈 빛

건네오는 당신의 눈빛을 똑바로 받아내지
못하는 것은
마음입니까. 나이입니까.

삶이란 변화의 과정입니다.
틀 속에 갇혀 있으면 순간을 살 수 없습니다.
따스하게 건네오는
당신의 눈빛을 받아 안을 수 있어야 합니다.
그 눈빛을 따스하게 되돌려 줄 수 있어야 합니다.

찰나의 순간일지라도
진실을 회피하거나 외면하는 눈은
더 이상 살아있는 눈이 아닙니다.

우 리 는

하나의 그릇에 담겨 있었으나
합쳐지지는 못하였더라.
너는 너의 시간을 살고
나는 나의 시간을 살고
몸도 맘도
시간도 공간도
서로 다른 차원을 살고 있었더라.

같은 시공을 살더라도
공유할 것이 없는 관계란 얼마나 쓸쓸한 것이냐.

다가설 수 없는 거리에서
희미하게 빛을 발하며
스쳐 지나가는 것들은
모두 그러하더라.

사랑하는 사람은 늙지 않는다

지나온 세월 그리매
아름답지 않은 일이 없어라.
잔잔하게 하루를 지워가는
노을 가득한 하늘이여!

새하얀 무명 치마에 쏟아진
커피의 얼룩이런가.
세월 지나도
지워지지 않는 얼굴들.

사랑을 간직하고 있는 사람은
늙지 않는다.

미소뿐이어라.

따뜻한 것들이 그리워지는 계절.
내 가진 거라곤 36.5도
뜨거운 심장과
그대 향해 베어 문
미소뿐이어라.

코스모스

외로운 눈
긴 모가지가 기린과 닮았어라.

척박을 골라
뿌리 내리는
영원히 살지지 못할 무리들.

그리는 마음
채울 수 없어
모가지가 길어진 영혼이여.

어떤 하루

아내는 직장에 나갔고
딸애는 야영에 가서 돌아오지 않았다.
어머니도 오랜만에 방학을 하셔 속초 딸네로
휴가를 떠나셨다.
아들과 내가 지키던 집에
아들마저 어제 개학을 하여 나만 홀로 남았다.

빈집에서 홀로 하루를 산다.
때로는 삶도 텅 비워져야 한다는 것을
새로이 알겠다.
텅 빈 집처럼 비워져서 차곡차곡
먼지가 쌓이는 것이 나쁜 것이 아님을.
소리가 떠나고 냄새가 떠나고
가족들이 떠난 뒤에야 알겠다.

부대끼며 소홀했던 것들이
홀로여서야 새로이 보인다.

창밖에는
한 계절이 비끼며 다른 계절을
쓸어내리는 소리들.
바람 소리와 빗소리로 가득 차 있다.
긴 휴가를 끝내고
나도 내일부터는 일하러 간다.
맑게 비워져서 간다.

외로된 여행

외로된 여행은
먼 길을 떠나지 않아도 좋으리.
행낭을 꾸리지 않아도
여자旅資를 마련할 필요도 없는 것이니.
단정한 자세로 앉아
지그시 눈을 감고
숨을 골라
마음이 지나가는 길에
두 발 얹어 놓으면 시작되리니.

그 길 어디쯤에선가
그대는 그대를 만나게 되리라.
오롯한 그대는
그대에게 하늘을 날아오를 날개를 달아 주리라.
무한한 자유를 안겨주리라.

길 위에서

삶은 길 위를 헤매는 바람의 발이다.
다시는 올 수 없는 길을 따라
당신도 나도 흘러간다.

당신의 이름을 가만히 불러본다.
정작은 당신이 그리워서가 아닐지도 모른다.
아직은 온기를 간직하고 있는
기억의 잔상들이 어른거리는 것일지도 모른다.

삶이란 시간의 벽에다
무수히 작은 흔적을 만드는 것이다.
덧없는 그림을 그리는 것이다.
그리고 다시는 오지 않을 것들을
언제까지나 추억하는 것이다.

이 뭣고

월정에서 상원으로 오르는 길이 이리도 멀었던가.
비로 젖은 흙길을 걸으며
문수 동자라도 만날 수 있을까 하여 두리번거린다.
문수는 보이고 아니하고
우산을 든 나그네 하나 지나가거니
그는 무슨 연유로
비 내리는 이 숲길을 걷고 있는가.
답이 없는 물음 하나 들고 나선 길에 빗소리만
가득하다.

독경 소리 은은하게 울려 퍼지고
산자락은 운무로 가사를 둘렀으니
산사가 곧 부처로구나.

산문 입구에 사천왕상은 어데 가고
'이 뭣고'가 막아선다.

비속에 전나무 더욱 푸르고
독경 소리 안개가 되어
산을 오른다.

이제는 어디로 갈거나.
답 없는 물음은
'이 뭣고'에 던져 버리고
두 눈이나 환해지게
동해로 가리라.

문강을 지나며

산다는 것은 누구에게나 어려운 일이다.
한 끼 늦은 점심을 먹기 위해
그는 정물이 된다.
저 인내심 끝에서
누구는 한 끼의 식사를 해결할 것이며
누구는 생을 마감해야 하리.

처음인 것처럼
마지막인 것처럼
감사한 마음으로 밥상 앞에 앉아야 한다.
손수 마련하지도 않은 밥상에 앉아
음식을 편애하고 타박하는 것은
유치한 짓이다.

꽃과 나비와 벌과 나

아기벌꽃엉겅퀴꽃노루귀애기붓꽃
괭이밥꽃비비초풍로초금낭화
초록별에무수히빛나는
별들사이를걷는
나비와
벌과
나

담 배

'너 때문에 내가 죽지.'
그래, 죽는 것을 알면서도 멈출 수 없는 게
그게 사랑인 게야.

죽음이야 태어난 자들에게 놓아진 덫 아니던가.
아무도 피해 갈 수 없지.

'너 때문에 내가 죽지.'
알면서도 피할 수 없다네.
집착도 마찬가지 숙명이 아니겠는가.

사랑아
오! 내 사랑아
마침내 네가 나를 죽이는구나.

차를 마시며

한 모금 머금으면
옥빛 종소리가 온몸으로 퍼져나간다.

혀를 타고 구르는 부드러운 물방울이여.
고요한 호수에 던져진 조약돌이런가.
둥글게 둥글게 퍼져나가는 따뜻한 파문이여.

고요히 눈을 감으면
마음속에 옥색 등이 하나
환하게 켜진다.

새 한 마리

그저 지나가는 길에
잠시 들러서
뭐라고 재잘거리다가
날아가 버리는 새처럼
마음속에
불현듯 찾아와
잠시 잠깐 까불다가 가는 너를

되뇌어 불러 세운들
무엇을 하리.

사 진

가는 시간을 붙잡아 두려
사진을 찍는다.
바람 속에 두면
모두 다 사라지고 만다.
오감이라 할지라도
온전한 상태로
기억 속에 저장되어 있는
것이란 없다.
기억은 사실조차도
왜곡하거나 윤색하여 서술한다.

한쪽만 보고 뛰면

퇴근길 좁은 골목길에서
달리는 차 앞으로 강아지 한 마리 뛰어듭니다.
순식간에 일입니다.
어딘가를 향해
전속력으로 달려가는 강아지.
급정거를 하고
강아지 달려가는 곳을 보니
길 저편에 차에서
아저씨가 내리고 있습니다.
그저 반가운 마음에
앞만 보고 내 달리던 강아지 한 마리
즉사할 뻔하였습니다.
오로지 한쪽 만을 보고 달리다 보면
왜 죽는지도 모르고
죽을 수도 있겠습니다.

포기하지 않도록

엎드려 잠자는 아이를 미워하지 않도록 해주세요.
배움을 구하는 자세에 예의가 없다고 하여
자기 일에 의욕과 열의가 없다고 하여
아이들을 무시하거나 미워하지 않도록 해주세요.
절제 없는 행동과 뱉어내듯 쏟아내는
원색적인 말들에 지쳐
아이들을 포기하지 않도록 하여 주세요.

새로이 시작되는 하루하루가 늘 전쟁입니다.
아이들과 내가 아이들과 아이들이 내가 나와
엉키고 대치하고 대립을 하는
이곳은 전쟁터입니다.

아이들을 바꿀 수 없을진대
내가 바뀔 수 있도록 해주세요.

권태와 지루함과 피곤함에 지쳐
아이들을 잠들게 하는
이 딱딱한 교육 내용을 집어던지게 해주세요.

아이들이 호기심과 흥미를 일으킬 수 있도록
그 내용과 방법을 바꿀 수 있는
힘과 지혜를 주세요.
인내할 힘과 지치지 않을
정열과 용기를 주세요.

내가 아이들을 포기하지 않도록
내가 나를 포기하지 않도록
내가 그 무엇도 포기하지 않도록
힘을 주세요.

후안무치 한 계절

후안무치 한 계절이다.
잘못을 저질러 놓고도 사과하는 법이란 없다.
약속을 어겨도 당당하기만 하다.
내 것 남의 소유의 경계도 허물어 귀찮으면 버리고
없으면 아무것이나 들어다 쓴다.
관리하는 법을 못 배워 쓰고 난 다음에는 여기저기
팽개친다.
이리 가려면 저리 가고 저리 가라면 이리 간다.

문제가 불거지면 모두가 덤벼들어 뭇매를 놓지만
바로 그때뿐 까맣게 잊어버린다.

모두가 똑똑하여 위도 아래도 없다.
실용과 합리도 아니고
형식과 전통의 고집도 아니다.
자유와 사랑도 좌도 우도 아니다.

다만 유용과 편익이 그때그때 상황에 따라 적용될 뿐으로 원리나 원칙도 귀찮아한다.
명리와 실리를 좇아 이합집산하고
의리와 신념과 사상은 부는 바람을 따라 흘러간다.

카오스가 이러했으랴.
예수도 공자도 석가도 시중 가판에 걸리어 팔리고 사는 상품일 뿐
외경畏敬이란 단어를 제대로 배우지 못하였으니
따라 배울 모델이 없다.
말만이 무성한 세상이니 말에서 시작하여 말로 끝나는구나.

아이들이야 무슨 잘못이 있을 것인가.
진실의 길을 외면하고 왜곡된 세상을 만들어가는
기성의 잘못이다.
후안무치한 계절이다.

그녀가 잔다

그녀가 잔다.
밥상머리에서 곯아떨어졌다.

배움이 이지(理智)를 밝힐 수 있을까.
지식이 지혜로 깊어지지 못하고
이기의 도구로 사용되더라도
그저 명명백백한 세상이면 되는가.

피해망상과 열패감이 가득하고 시기와 질투의
징 소리, 꽹과리 소리가
여기저기서 미친 바람같이 휘감아 돈다.
나만 중요하고, 나만 편리하고, 나만 존중받아야
하는 세상

너는 밀어내고, 짓밟고, 차별하고, 무시하며
살아야 살맛이 나는 세상
끼리끼리 작당하고 담합 하는
이 세상이
그녀를 저렇게 곯아떨어지게 만드는 것이다.

배움을 쌓아
세상을 이 지경으로 만들 지경이면
문명을 이룬다고 하는 것이
무슨 소용일 것인가.
개나 돼지를 길러보라.
가르침이란 게
배움이란 게
그 바탕에 무엇을 깔고
시작해야 하는지를.

꿈

몇 살 때 얼굴인가.
환하게 스스럼없이 다가와 조잘거리던 너는.
감정을 알 수 없이 애매한 미소를 띤
그 얼굴은 너의 얼굴이었을까.
널 그리는 나의 맘이었을까.

기억이 간직하고 있는 이미지는 사실일까.
기억의 장치 속 어디인가에
각인되어 버린
나는 그런 너를 추억하는 것일까.

감정이 떠나버린 것들은 차갑지.
영혼이 떠나버리면 더더욱 차가워지지.
같은 시공에 존재한다고 해서
모두가 따뜻한 체온을 나눌 수 있는 것은 아니다.

영혼과 영혼이
감정과 감정이
교류하고 공감하지 못한다면
존재란 그저 차가운 돌덩이일 뿐.

소망인 거야, 꿈은
따뜻한 온기를 나눌
너를 만나고 싶은
소망인 거야.

영화를 보며

'그리워'라고
작게 속삭여 보라.
그리하면 비가 내리는 화면 속에서
너의 영상이 살아오리라.
너는 시간이 석화된 화석이다.
상상할 수 있는 한
너는 너이고, 너는 나이며
너는 종래 알 수 없는 그 무엇이다.

살아가는 것은 쓸쓸한 여정이다.
악당도 연인도 떠나가 버린 황량한 거리에
홀로 남겨진다는 것은.

'그리워요'라는 말은
비 내리는 거리로
너를 불러내는 암호이다.

외로움이 사무쳐 올 때면
이렇게 비가 내리는 이 거리로 그대를 불러내어
더불어 취하고 싶나니
해도 해도 끝나지 않을 이야기를
오랫동안 하고 싶은 것이다.

관 계

관계란 소통이다.
그에게 도달하고 싶다면
그의 언어로
말하는 법을 배우라.

그녀는 슬프다

꽃그늘 벤치에 홀로 앉아 있는
그녀는 슬프다.
외로움이 슬픔에 다른 이름이라는 것을
당신을 보내고서야 알았거니.
나의 노래를 들어주는
당신이 존재한다는 것은 얼마나 큰 위안인가.
시를 노래하거나 노래하듯 시를 쓰거나
꽃그늘 벤치에 홀로 앉아 있는 그녀는 슬프다.
나를 읽어다오.
나의 노래를 들어다오.
나의 노래에 맞추어 춤을 추어다오.
토씨 하나하나가 바람결에 흩날리는 꽃잎일지니
나의 노래에 어울리는 화음이 되어다오.

Ⅳ

넝 쿨 손

초겨울 아침
산머리가 희다.
출근길 차창에 비치는
머리카락을 쓸어넘기는 바람결도 희다.

욕심인 게지.
기차는 이미 마지노선을 넘어
남하하는 중이거늘
철조망을 휘감으며 한사코 기어오르는
넝쿨손의 초록빛 꿈이여!

겨울 송라산에서

한겨울 송라산 그 정상에 올라가 보라.
독수리가 한 마리
머리 위에서 당신을 내려다보고 있을지니
더 오를 곳이 없다.
오감을 폐하고 동굴 속으로 거적을 옮긴다.
어둠이 깊을수록
환히 보이는 것도 있을 것이니.
내가 아는 한 이별은 터미널이다.
가고 오는 것들은 예고도 약속도 없다.
이정표도 없는 여행길에서
나그네란 그저 길옆에 피었다가 지는 꽃.
지나간 자리에 소소한 이야기들만 남을 뿐이다.
당신의 머리 위에 총알 같은 검은 눈
독수리의 눈알이 보이는가.

재 채 기

동네 여기저기서
에취 에취 에취
재채기 소리가 끊이질 않거니.

우리 동네는 환절기 어름에 들어섰는가 보다.
말로 하지 않아도
몸이 용케도 알고 소리를 지른다.

이쯤에 다다르면 성하盛夏의 열기도 부질없거니
여름을 꾹꾹 다져 넣은
크고 작은 열매들만이
온 세상에 가득하다네.

기 침

그녀의 기침이 시작되었다.
일상이 층층이 쌓여서
'그것'이 된다.
그냥 우연히 '그것'이 되는 것은 없다.
지어서 만들어지는 것이니
인과는 그래서 섭리다.
누구를 탓 할 수 있을까.
쉬지 않고 터지는 소리로
그녀는 그녀의 존재를 드러낸다.

그녀는 잘 모르는가 보다.
처방이 중요한 것이 아니라 원인을 제거해야
기침이 없어진다는 것을.

누구에게나 안다고 해도 고치기 힘든 고질병이
있으니 그걸 습관이라고 해 두자.
'안녕히'
이제는 당신과 헤어질 시간이 되었네요.
'선고하겠어요'
'서너 달 후이면 당신은 다시는 돌아올 수 없는
기나긴 여행을 떠나시겠군요.'
'부디 안녕히'
이쯤 되는 선고라야
그때가 되어서야
그 원인을 돌아보고 그것과 결별할 수 있으려나.

순간순간이
하루하루가
'그것'을 만들어간다.
원인을 밝혀 알아야 인생도 밝아질 것이다.

눈 초 리

멀리 혹은 가까이에서
수시로 건너오는 눈초리.

눈을 들어 마주 보지 못한다고 하여
너에게 다다르지 못하는 것은 아니다.

소리 없이 날아와 꽂히는 화살.
고개를 돌려 딴청을 놓고 있다고 하여
너를 보지 않는 것은 아니다.

백 자

얼마나 뜨거웠던 것이냐.
그리하여 결 없이 서로를 부여잡은 것이냐.

투박을 하얗게 태워버린 순백한 결속.

너의 주둥이에 귀를 대면
불순을 살라버린
한 대목
남도창이 가녀린 목선을 타고 오른다.

돌 던지기

잔잔한 호수에 돌 하나 던집니다.
돌은
그녀의 마음에 닿기까지
물방울을 보글거립니다.

호수 위에는 동그라미들이
하나둘 생겨나서
기슭을 향해 원을 그려 나갑니다.
일단은 그뿐입니다.

호수 위에는
어제처럼 바람이 불고
해가 지나가고

그림자를 드리우며
새도 한 마리 날아갑니다.

아무 일도 일어나지 않았던 것처럼
하루가 지나가고 있습니다.

당신이 창을 열고
노래를 들어줄 때까지는
나는 가끔 호수를 향해 돌을 던질 뿐
하냥 기다려야 합니다.
그것 밖에 달리 할 일이 없습니다.

나

그 무엇으로도 채울 수 없는 항아리.
도저히 끝을 알 수 없는 미로.
밴댕이보다 작은 소가지.
견뎌내기 힘든 것.
한없이 큰 것.
꽉 막힌 것.
텅 빈 것.

별

그리움이 가득해지면
하늘에는 하나둘 별들이 돋아납니다.

우리는 저마다의 색으로 반짝거리는 별입니다.
저마다 궤도軌道가 있어
누군가가 불러주지 않으면
그 부름에 화답하지 않는다면
정해진 그 길을 갈 수밖에 없습니다.

부르거나 화답하거나
깨지거나 포기하거나
궤도를 이탈해야만
우리는 다른 별과 만날 수 있습니다.

오두산 전망대에서

강 건너로 손에 잡힐 듯 가까운
금단禁斷의 들녘을 훔쳐본다.
저 건너 땅에도 겨울이 와서
김장 준비로 바쁜 사람들.

망원경을 통해 훔치듯 보아야 하는 이
부끄러움이라니.
강 하나를 건널 뿐이라는 듯
기러기 무리를 지어 오고 가는데,
사상과 이념의 절벽을 직면하여
한 발짝도 더 나아갈 수 없다.

불행했던 과거의 굴레에서
단 한 발짝도 벗어나지 못하고
갈등과 피 튀기는 충돌을 부추기고 반복하는
내 속에 웅크린

이 더럽고 추악한 어리석음에
화가 치밀어 오른다.

철마는 녹슬기 전부터 달리고 싶었으리.
나도 그러하거니
아이들과 더불어 저 광활한 대륙을 향해 달리는
철마에 제일 먼저 동승하고 싶다.

이제 이 역사의 호기에
철책을 걷어내듯 미움과 증오를 걷어내고
용서와 화해로써
평화롭고 자유로울지어다.
새처럼 자유로울지다.

내가 나를 괴롭힌다.

보통은
네가 나를 괴롭힌다고 말한다.
세상이 나를 괴롭힌다고 말한다.

그러나 사실은 이렇다.
대상으로부터 나에게 오는 정보는 그대로 나에게 전달되지 않는다.
그것은 생각이라는 프리즘을 통해 전달된다.
프리즘은 외부에서 오는 모든 정보를 검문한다.
프리즘은 내 속에 중무장한 판관이다.
온갖 사상으로 무장하고
핑계와 구실로 무장하고
그럴싸한 합리화까지 동원하여
나를 보호하려 한다.

그리하여 나를 괴롭힐 만한 꼬투리라도 들어있는
정보들은
그것이 무엇이든 가차 없이 철퇴를
휘둘러 부숴버린다.
나는 나의 프리즘에 의해 막혀있다.

나는 당신에게 갈 수 없다.
나에게 내가 걸리고
당신과 당신 속에 당신이 막고 있기 때문이다.
막힘 없는 공간이라지만 오갈 수 없다.
이것이 내가 나에게 저지르는 폭력이다.

막힘 없는 삶이란
각성으로부터 비롯되는 것이니
늘 깨어 있어야 할 것이다.

미 리 내

사유는 외로움을 부른다.
존재와 존재를 구분하는 순간도 그러하다.
사랑이 유일한 가치인 까닭은
우리가 하나 되어 이 우주의 중심에 꽃밭을 만들기 때문이다.
이 꽃밭에 꽃송이들을 피어나게 하기 때문이다.

사랑만이 우주를 영속하게 하는 힘이다.
사랑은 잃는 것도 얻는 것도 아니다.
우주에 존재하는 이 별들의 뼈대와 장기가
온통 사랑으로 이루어진 까닭이다.
이 별에도 지금 사랑을 부르는
풀벌레 소리로 가득하다.
천상의 꽃들이 흐르는 강이여!

낮 잠

따뜻한 햇볕 속에서 앉아
가물가물 깊이를 알 수 없는
바닷속으로 가라앉고 있다.

반투명한 불루
잘게 부서져 흩어지는 햇살 속에
돌고래 무리가 원을 그리며 선회하고 있다.
분명치 않은 의식 속에서 언뜻 나타났다가
가물가물 사라지는 고래들의 울음소리.

잘게 저미어진 가시광선 속을
무리 지어 유영하는 총천연색 물고기들
노곤한 오월의 녹색의 바다에 빠져
서서히 익사해 가고 있다.

우리 사이

조각나 버린 기억의 파편들을 더듬어 꿰어놓으니
너에게로 가는 길이 생겨나기 시작한다.
구멍이 숭숭 뚫린 길이다.
파편들은 깨진 유리 조각들 같아서
빛을 비추면 그 조각들은
살아서 반짝이지만
깨진 조각을 정성을 들여 붙여 보아도
우리는 늘 타인이다.

혹시 뭔가 잃어버린 조각이 더 있는 것은 아닐까?
기억의 주머니를 이리저리 뒤집어 털어 보지만
딱히 추억할 것이 없다.

공유할 그 무엇도 없다면
타인일 수밖에 없는
관계란 그런 것인가 보다.

있어도 그만
없어도 그만인
참으로 쓸쓸한
우리 사이.

마음이 속삭입니다

마음이 속삭입니다.
떠나자고 합니다.
이 도시를 떠나자고 합니다.
등을 지더라도 다시 돌아올 수밖에 없다고
아직은 할 일이 남아 있다고
머뭇거리는 나를
떠돌이 바람은 나를 이끌어
깊은 산 속, 호롱불 켜진 집으로 인도합니다.
그리고 아무 말도 없이 떠나버립니다

홀로 남겨져
나는 나의 꿈을 봅니다.
나의 삶 속에는 막연한 불안함과 공포가
피와 살과 뼈처럼 공존합니다.

이러한 것들을 비워내는 방법을 모르겠습니다.
버려도 버려지지 않고
비워도 비워지지 않고
세월이 지나고 줄어들거나 작아지지도 않습니다.

늦지 않도록
나를 돌려세우라고 목소리가 속삭입니다.
내 속의 나
나 속의 내가
그 목소리가 그렇게 속삭입니다.

당 나 귀

욕망은 당신을 끌고 가는 당나귀이다.
고집을 부리며 앞으로 가다 보면
언젠가는 목표한 곳에 다다르겠지만
오로지 한 곳을 보고
쉼 없이 걸어야 한다.
몸은 수고롭고
맘은 허기진다.

당나귀를 멈춰 세워보라.
그리하면 푸른 숲을 지나가는
바람의 모습이 보이리라.

겨울, 그 한가운데서

희망을 이야기하기에 겨울보다 적절한 계절이 어디 있겠는가.
더 나아갈 수 없는 계절의 끝.
극한까지 떠밀려온 인식은 사유의 절벽에다
생을 밀어 놓고 슬그머니 자취를 감춘다.
칼날 같은 한기 속에서 무엇을 더 생각하란 말인가.
오 갈 데가 없는 길의 끝이 아니던가. 겨울은
그러나 죽음을 불사하고 빈 공중을 향하여
한 발 내디디면 비로소 알게 된다.
접어둔 날개가 있었음을
거기서 끝이 끝이 아님을 가르치는 이를 만나게 되리니
겨울은 꿈과 생명의 무덤이 아니더라.
단단한 껍질 속에 생명의 정수를 잉태한
영원한 모성을 간직한
겨울은 희망의 계절이다.

송 촌 리

물길 따라 가평 청평을 내려가다가
양반걸음으로 완보하는 강을 만나거든 물어보라.
산허리 어디쯤엔가
솔 향기 머금은 물방울 소리가
범종 소리로 울려 퍼진다는
수종사를 품어 안은 송촌리를 물어보라.

송촌리는 북한강과 남한강이 만나
한강이 되는 양수리를 마주 보고 있는 동네다.
양수리를 기점으로 거슬러 남과 북의 강줄기를
따라 오르면
올망졸망 샛강도 만날 테지만
그 끝을 되짚어 오르다 보면
백두 대간의 등뼈 태백이 있을 뿐
남한강도 북한강도 없다.

그 시원始元의 물줄기로부터
찰나의 끊어짐도 없이
물길은 이 땅을 흘러 바다로 내리고
그 중간 어디쯤에
물줄기가 실어다 놓은 기름진 땅
송촌리가 있다.

송촌리에 가면
물방울 소리가 범종 소리로 울린다는
수종사에 올라가면
암수 강이 만나 몸을 섞는 모습
그 황홀한 정사의 장면을 볼 수 있다.

어두워지면 하늘을 보라

어두워지면 하늘을 보라.
무수한 별들이
어둠 속에서 신호를 보내올 것이니.

저 신호들은 얼마나 먼 거리에서
이곳에 다다르는가.
얼마나 오랜 시간을 달려와 눈동자에 닿는가.
지금 나를 싣고 운행하는
이 별은 태양계에서 가장 푸른 별이다.
이 행성에는 별의 수만큼 많은
생명들이 다 함께 머물고 있나니
이들은 모두 저 무수한 별들의 주인들이다.
귀 기울여 들어보라.

반짝이는 신호에 화답하는
수많은 소리가 들릴지니.
하늘과 땅과 바다에 가득한 소리들.
저 뭇소리는
제 떠나온 그 별에
언제인가는 돌아갈 그 별에
보내는 그리운 편지인 것을.

프로그램

입력된 명령을 수행하기 위하여
영원히 죽지 않기 위하여
열망과 몸부림은 그렇게 시작된 것이니
이 프로그램의 이름을 탄생 신화의 서문이라 하자.

이 프로그램의 문을 열려거든
사랑이라는 암호를 입력하라.
그 이름으로만 수행되도록 하라.

영원히 살아남기 위하여 나는 가늠도 할 수 없는
시간 저편에서 이미 입력된 명령을 수행해야 한다.
사랑이라는 암호를 가지고.

이 명령이란 손익을 고려치 않으며
시간에도 장소에도 구애됨이 없이

손에서 손으로 이어지는
둥근 트랙 위를 돌아가는 계주용 바통이다.

엔터키를 쳐라.
그 황홀한 순간의 촉감 뒤에
나타나는 예측 불허의 부호.
점점이 계획된 화상위에
나타나는 기호체계---운명.
흔적도 없는 사라짐이란 얼마나 큰 우울한 일인가.
생을 각인하기 위하여
수행하는 필사의 불꽃놀이.

유한한 생명을 영원의 문으로 인도하는
숭고한 명령의 이행.
알 수 없는 그 무엇을 위하여
미로 속에 숨겨진 명령 체계.
때로는 자의적(恣意的)이라고 생각하는
그렇게 생각할 줄도 아는
기특한 Computer.

토끼의 변신

아주 오래전에
나는 작고 예쁜 토끼 한 마리를 입양하여 주머니 속에 넣고 다녔다.
작은 토끼는 무럭무럭 자라나더니 커다란 암소가 되었다.
그 암소는 더욱더 자라나더니 다시 눈알이 새빨간 토끼로 변신을 하는 것이었다.
나는 내가 만난 그 토끼가 토끼인 줄로만 알았기에 토끼가 암소가 변했을 때 놀라웠지만, 토끼가 암소가 되었다가 다시 토끼가 될 줄은 몰랐다.
나는 내가 만난 그 토끼가 암소로 변하였다가 다시 토끼로 변하였기에
나는 내가 만난 그 토끼가 그래도 토끼인 줄로만 알고 있었다.

토끼로 토끼일 것으로 알고 있었는데
어느 날엔가 그 토끼는 구렁이가 되어 있었다.
커다란 그 구렁이는 어느새인가
나를 휘감아 버렸고 커다란 입으로 나를 반 넘어 삼키고 있었으며
정다운 눈으로 나를 노려보고 있는 것이니
내가 옛날 만났던 그것은 애초에 구렁이었을까.
아니면 예나 지금이나 토끼는 토끼일 터인데
내 눈에 얼보이는 것일까.

개를 키워본 사람들이 말하더라.
처음에는 귀여운 한 마리 어린 강아지였던 것이
사람들과 같이 한 밥상에서 밥을 먹으며 크더니 강아지는 없어지고, 자기를 사람으로 알고 있는 개가
사람 사이에 살며, 그 틈에다 서열을 정하고 사람의 이름으로 불리며 살다가
어느 때부터인가는 그 사람은 한 마리 여우가 되고
이무기가 되어버리더라고.

‘안도현’을 만나는 아침

일요일 아침 이불 속에서 ‘안도현’을 만난다.
상큼한 귤 하나 까먹으며 상큼한 년을 떠올리는
저도 나도 어쩔 수 없는 사내지만
밤새 삭은 불씨 속에서 알맞게 익은 군고구마를
이른 아침으로 맛있게 까먹은 참이라 아무 생각이
없다.

그의 시 ′부끄러움에 대하여′를 읽다가
가시처럼 목에 걸리는 ′난데없이′에 대하여
아내와 알콩달콩 작은 다툼이라도 할라치면
일요일 아침은 얼마나 고소한가.

김이 모락모락 오르는 커피 한 잔을 받아 놓고
조수미를 듣든 흘러간 팝송을 듣던
잎새에 뛰노는 햇살을 넋을 놓고 바라보던

일요일 아침이 일요일 아침답다는 것은 얼마나 달콤한가.
살아가며 잃어가는 것이 어디 젊음뿐이겠는가.
알콩달콩도 새콤달콤도
흐르는 세월에 바래어 시큼털털해지는
이 나이에 다다르고 보면
사랑하며 살아온 날들보다
사랑할 수 있는 날들이 줄어든 것도 생각해야 하는 것이 아니랴.
일요일 아침이 일요일 아침다울 수 있다는 것은
이 얼마나 흐뭇한 일이냐.

아우의 4주기

아우의 4주기다.
거기서도 잘 지내고 있으려나.
떠난 자와 남아서 감내하는 자의 차이
자네와 나 사이에 맺어진
새로운 관계.

우리는 살아가며 말하곤 하지.
쉽게 포기하는 자가 지는 것이라고.
정말로 그러한가.
끝까지 살아남은 자가 이기는 것이라면
떠난 자의 짐을 더하여
짊어지고 가야 할 이 무게란 무엇이란 말인가.
삶은 목표를 세우고 달려가는 마라톤이 아니다.
악착같이 달려가 보지만 그 길의 끝에서 주자를
기다리는 것이란 무엇일 것인가.

자네와 더불어 나도
언젠가 돌아가야 할
길 위에 나그네이다.
문제도 없고 답도 없는 시험지를 앞에 놓고
스스로 문제를 내고
스스로 그 답을 궁구해야 하는 나그네이다.

이 길 위에서
무엇을 얻고 무엇을 누릴지
알 수는 없으나
자네 몫까지 다해 열심히 살아는 보겠네.
만나는 날까지 잘 지내시게나.

이게 사랑인가

흐르는 것이 삶이라는 걸
이 사랑도 그러하다는 걸
시간의 초침이 작은 목소리로 내게 속삭여 줍니다.

사랑이란 이름으로 맺은 아름다운 동행,
함께 묶이어 흘러가는 세월
섞이고 합하여 하나 된 것만큼이나
융화되지 못하고 굳어가는 부분도 있는 것이니
이 동행은 필경 애증의 감정보다는
포용과 이해의 바퀴로 굴러가는 여행이리라.

나의 사랑은 죽었다.
시름시름 앓던 나의 사랑은 죽었다.
사랑이 죽고 나면 그 자리에 무엇이 자라는 걸까.
너와 내가 사랑이란 이름으로 만들어 놓은
이 세상은 이제 무성한 숲이 되었다.

끝없이 돌보아야 하는
무성한 숲이 되어버렸다.
이게 사랑인가. 사랑의 참 얼굴인가.
이것이 아름다운 동행의 결실인가.

나는 가두어졌다.
내가 이러하듯 너도 그러할 것이다.
너의 욕망을 채워줄 수 없는 나의 욕망은 슬프다.
시간이 흐르는 것은 얼마나 다행한 일이냐.
가두어진 채로 멈추어 선 채로
이 흐름이 정체되어 버린다면 어찌 견디랴.

이 동행의 길도 언젠가는 황혼에 다다를 것이다.
길이 그 꼬리를 드러내기 전에
나는 그대를 동행 이전에 상태로 되돌려 놓고 싶다.
내가 당신에게 그러하듯
나 또한 당신에게서 그리되고 싶다.

삶이 위태로워지는 것은

무리를 지어
바닷속을 떠도는 군상들.
그러나 그렇게 한다고 해서
삶이 안전하게 보장되는 것은 아니다.

삶이 위태로워지는 것은
의미도 모르는 채
이유도 모르는 채
무리에 섞여
멈출 수 없는 달리기에
주자가 되었기 때문이다.

삶

삶은
속이 들여다보이지 않는 사탕 통
그 속을 무엇이 얼마나 들어 있는지
그 누가 알 수 있으리

그리워하는 것이야 무에 죄가 되겠는가.

장엄한 하루의 마지막이여!
이제 곧 황혼의 꼬리를 물고 어둠이 오리라.
이제는 당신의 손을 놓아야 할 때.
당신을 태운 마지막 버스가 떠나버리고 나면
이 세상은 적막으로 가득하리라.
가득했던 곳이 비워진 자리는
애초부터 비어 있던 공간과는 달라서
어둠이 더욱 짙고 푸르리라.
당신으로 가득 차서 출렁이던 바다가 아니었던가.
당신을 보내고 나면
이 바다는 더 이상 바다가 아닐 것임에.
마지막으로 불러보는 이름이여!
그리워하는 것이야 무에 죄가 되겠는가.

미 소

그 무엇이 당신을
미소 짓게 하나요.
미소를 머금은 얼굴이 꽃송이네요.
이제 막 터지는 꽃송이네요.

그대의 환한 얼굴이 한 송이 꽃송이임을
그대도 아시는지요.
그 무엇이 당신을
꽃송이로 피게 하나요.
그 누가 당신 앞에 나타난 건가요.
그 누가 당신의 오솔길을 향해 걸어오고 있나요.
환하게 미소를 짓고 있는
당신은 꽃송이랍니다.

만 남

서로 다른 행성에서
걸치고 온 시간의 외투를 벗어 놓는 시점으로부터
우리들의 언어는 온도가 달라진다.
세월이 만들어 쌓아 놓은 것들은 이제 아무 소용이
없다.

과거와 현재가 혼재하고 귓속말로 담합하는
미래까지 세 층위의 시간이 한 평면에 흐르고 있다.
왁자글한 웃음이 감탄과 탄식과 자랑과 질투가
귀에 익은 비속어들이
소주잔과 더불어 돌고 도는 시간에

너의 몸뚱이는 해체되어 커다란 접시에 담겨 상에 오른다.
얇게 저미어진 형형색색의 살점과 바싹 구워진 머리로

수포가 바글거리는 커다란 수조에 담겨
이 생경한 도시의 풍경에 어리둥절한 검은 눈동자들이여!
누구인들 잠시 뒤에 일어날 일을 알 수가 있겠는가.
가끔 격한 뒤척임으로 불편한 감정을 표현할 뿐
그들의 손아귀에 들어간 순간부터는
더 이상 어찌해 볼 도리가 없는 것을.

서로 다르지만 다르지 않은 운명에 대하여
우리는 서로를 다독이고 위로를 할 뿐으로
거나해져서 뿔뿔이 손을 흔들며
각자의 시간으로 돌아가야 한다는 것을.

마 음

그저 바라만 봐야 할 때도 있다.
마음이 움직이면 손이 따라 나간다.
안타깝더라도 그저 바라만 보아야 하는 것도 있다.

아픔도 사랑도
늘 보고 있는 사람의 몫이다.
온전하게 평등한 사랑이 어디 있겠는가.
좋아하고 사랑해서
안달복달하더라도
그것도 그저 그 마음을 가진 사람의 몫일 뿐이다.

그저 그 마음을 다 알고 있다 하더라도
어찌해 볼 도리가 없는
그런 마음도 있다.

배 탈

속이 더부룩하더니 그예 천둥과 번개가 친다.
건잡을 수 없이 소나기가 쏟아진다.
균형과 통제의 브레이크가 고장 나버린 종의
번성에 결과이다.
작거나 크거나 유기적 질서의 고리 속에 있는
것들은 다 마찬가지다.
번성이 또한 종말로 이어지는 길인 것이니.
어디 이 벌레들뿐이겠는가.
발전과 성장을 구실로 제 발등 찍어대기 바쁜
저 어리석은 종들의 번성을 보라.